在“七一勋章”颁授仪式上的讲话

（2021年6月29日）

习　近　平

人民出版社

目　　录

在“七一勋章”颁授仪式上的讲话

（2021年6月29日）

习　近　平

同志们：

今天，在庆祝中国共产党成立一百周年之际，我们在这里隆重举行仪式，将党内最高荣誉授予为党和人民作出杰出贡献的共产党员。

首先，我代表党中央，向“七一勋章”获得者，表示热烈的祝贺！致以崇高的敬意！

一百年来，我们党矢志践行初心使命，团结带领人民开辟了伟大道路、建立了伟大功业、铸就了伟大精神、积累了宝贵经验，在中华民族发展史和人类社会进步史上写下了壮丽篇章。

一百年来，一代又一代中国共产党人，为赢得民族独立和人民解放、实现国家富强和人民幸福，前仆后继、浴血奋战，艰苦奋斗、无私奉献，谱写了气吞山河的英雄壮歌。

今天受到表彰的“七一勋章”获得者，就是各条战线党员中的杰出代表。在他们身上，生动体现了中国共产党人坚定信念、践行宗旨、拼搏奉献、廉洁奉公的高尚品质和崇高精神。

——坚定信念，就是坚持不忘初心、不移其志，以坚忍执着的理想信念，以对党和人民的赤胆忠心，把对党和人民的忠诚和热爱牢记在心目中、落实在行动上，为党和人民事业奉献自己的一切乃至宝贵生命，为党的理想信念顽强奋斗、不懈奋斗。

心中有信仰，脚下有力量。全党同志都要把对马克思主义的信仰、对中国特色社会主义的信念作为毕生追求，永远信党爱党为党，在各自岗位上顽强拼搏，不断把为崇高理想奋斗的实践推向前进。

——践行宗旨，就是对人民饱含深情，心中装着人民，工作为了人民，想群众之所想，急群众之所急，解群众之所难，密切联系群众，坚定依靠群众，一心一意为百姓造福，以为民造福的实际行动诠释了共产党人“我将无我、不负人民”的崇高情怀。

江山就是人民，人民就是江山。全党同志都要坚持人民立场、人民至上，坚持不懈为群众办实事做好事，始终保持同人民群众的血肉联系。

——拼搏奉献，就是把许党报国、履职尽责作为人生目标，不畏艰险、敢于牺牲，苦干实干、不屈不挠，充分展示了共产党人无私无畏的奉献精神和坚忍不拔的斗争精神。

越是伟大的事业，越是充满挑战，越需要知重负重。全党同志都要保持“越是艰险越向前”的英雄气概，保持“敢教日月换新天”的昂扬斗志，埋头苦干、攻坚克难，努力创造无愧于党、无愧于人民、无愧于时代的业绩。

——廉洁奉公，就是保持共产党人艰苦朴素、公而忘私的光荣传统，从不以功臣自居，不计较个人得失，不贪图享受，守纪律、讲规矩，生动体现了共产党人应有的道德风范。

共产党人拥有人格力量，才能赢得民心。全党同志都要明大德、守公德、严私德，清清白白做人、干干净净做事，做到克己奉公、以俭修身，永葆清正廉洁的政治本色。

“七一勋章”获得者都来自人民、植根人民，是立足本职、默默奉献的平凡英雄。他们的事迹可学可做，他们的精神可追可及。他们用行动证明，只要坚定理想信念、坚定奋斗意志、坚定恒心韧劲，平常时候看得出来、关键时刻站得出来、危难关头豁得出来，每名党员都能够在民族复兴的伟业中为党和人民建功立业！

同志们！

新时代是需要英雄并一定能够产生英雄的时代。中国共产党要始终成为时代先锋、民族脊梁，党员队伍必须过硬。希望受到表彰的同志珍惜荣誉、发扬成绩，争取更大光荣。各级党组织要从工作和生活上关心爱护功勋党员，大力宣传“七一勋章”获得者的感人事迹和崇高品德，在全党全社会形成崇尚先进、见贤思齐的浓厚氛围，激励广大党员、干部牢记党的性质宗旨，牢记党的初心使命，不懈奋斗，永远奋斗，在全面建设社会主义现代化国家新征程上，向着第二个百年奋斗目标、向着中华民族伟大复兴的中国梦奋勇前进！

附录

“七一勋章”获得者名单

（按姓氏笔画排序）

马毛姐	王书茂	王占山	王兰花	艾爱国
石光银	吕其明	廷·巴特尔		刘贵今
孙景坤	买买提江·吾买尔			李宏塔
吴天一	辛育龄	张桂梅	陆元九	陈红军
林　丹	卓　嘎	周永开	柴云振	郭瑞祥
黄大发	黄文秀	黄宝妹	崔道植	蓝天野
魏德友	瞿独伊			

图书在版编目(CIP)数据

在"七一勋章"颁授仪式上的讲话/习近平 著. —北京:人民出版社,
2021.6

ISBN 978 - 7 - 01 - 023557 - 8

Ⅰ.①在… Ⅱ.①习… Ⅲ.①习近平-讲话-学习参考资料 ②中国共产党-模范共产党员-先进事迹-学习参考资料 Ⅳ.①D2-0 ②D263

中国版本图书馆 CIP 数据核字(2021)第 126367 号

(RMC - ZJDXI - 111 - 20210629)

在"七一勋章"颁授仪式上的讲话

ZAI QIYI XUNZHANG BANSHOU YISHI SHANG DE JIANGHUA

(2021 年 6 月 29 日)

习　近　平

人民出版社 出版发行

(100706　北京市东城区隆福寺街 99 号)

北京新华印刷有限公司印刷　新华书店经销

2021 年 6 月第 1 版　2021 年 6 月北京第 1 次印刷

开本:880 毫米×1230 毫米 1/32　印张:0.5

字数:6 千字

ISBN 978 - 7 - 01 - 023557 - 8　定价:2.00 元

邮购地址 100706　北京市东城区隆福寺街 99 号

人民东方图书销售中心　电话 (010)65250042　65289539